우리는 어렸었다

김준형 지음

목차

들어가는 글

글쓴이의 말

글을 배운 적도, 글솜씨가 뛰어난 것도 아닌 내가 글을 써서 책을 내는 것도 우습긴 하다. 작가라는 단어조차도 그 직업을 가벼이 여길 수 없어 작가라는 표현은 쓰지 못하겠다. 글쓴이가 의지가 약하고 쉽게 흔들리는 사람이라 대부분의 글이 나를 성찰하는 글이다. 잡생각이 많아서 생각을 정리할 때 마음을 다잡기 위해 글을 써 버릇하여 고등학생 때 야자 때 쓴 글부터 군대에 있을 때 태평양 한가운데서 쓴 글, 스물일곱 졸업전시에 고민하며 쓴 글까지 묶어보았다. 뭔가 세상 모든 것을 통달한 듯 쓴 글도 화자가 잘나서 그런 것이 아니라 오히려 못난 본인에게 하는 말이 대부분이다. 조리 있게 쓰지 못해 이해할 수 없는 글을 읽고 아주 잠깐이나마 생각하게 한다면 이미 반쯤 성공한 것이다. 전문적으로 배우거나 직업으로 삼은 사람이 아니기에 여러 조언은 환영이다. 다만 너무 강한 비난보다는 가벼운 마음으로 일기장을 훔쳐보듯 읽어주었으면 한다.

1장

죽음과 살아감에 관하여

화장터

――――――

나는 어릴 적에 화장터에 간 적이 있었다.
작은 아버지의 장례를 연고로 갔었는데
그때에 나는 아버지가 목 놓아 우는 모습을 처음으로 보았다.
장례식장에서는 슬픈 기색 하나 없는 듯 보였는데,
애써 태연한 척했던 것인지 싶을 정도로.
작은 아버지와는 명절 때 종종 보는 정도로 그쳤기에
나는 그저 멀뚱히 자리를 지켰었다.

10년여 시간이 지나 다시금 그때를 떠올린다.
이제는 내게 더 가까워진 듯한,
전혀 반갑지 않은 그곳의 기억이,
시간이 지난 지금 오히려 더 가까이 있는 것만 같다.

평범하게 일상을 살아가면서
우리는 나 자신을 얼마나 돌아볼까.
나의 책임, 나의 위치, 나의 역할, 나의 신념.
바쁘게 일하면서 혹은 바쁘게 놀면서
얌전히 생각하는 법을 잊어 가는 것 같다.

어쩌면 의도치 않은 슬픔이
우리 삶에 있어 잠깐의 쉼이 될 수도 있겠다.

그 생생히 기억나는 곡 소리가,
아직도 애처럼 살고 있는 내게도
얼마나 오래 갈지는 모르겠지만서도
잠깐이나마 반성하게 하는 것처럼.

봄을 손끝에

나의 봄은 그 나무 밑에 두고 왔어요
바람결 일렁이면
팔랑 날아갈 것만 같은

그때의 기억
꽃향기가 슬퍼질 때면
나의 봄을 찾아와

봄을 손끝에 조금
다시 한번
엎드려, 조금 묻혀 가세요

별이 죽는 순간

___

지나온 발자국들이 비바람에 씻겨나간다

찬란했던 그 순간의 빛은,
지나온 과거와 기억들은,
나만의 것이 되어버렸다

아직 빛나고 있다고
아직 빛낼 수 있다고
어스레히 검게 빛난다

적색의 무언가가 천체를 관통한다

그렇게 나는 추하게 살지 말아야지
그런 사람이 되지 말아야지 했는데

백색의 먼지로 남아
아픔의 빛이 멎는다

삶이란

강물처럼 빛나는 순간들을
우리는 모두 가지고 있었죠

흔한 것들과 같아 보이지만
저마다의 색깔로 빛나는
흐르는 마음을 가지고 있었죠

저마다의 색으로
그렇게 흐르는 대로

경계선

──────

그 사이에서
우리는 무얼 할 수 있는가
그저 보이지 않는 선 건너편을 바라보기만,
그저 눈물 흘릴 수밖에

나는 넘어갈 수 없는 선을
넘어가버린 그대
선 너머 이곳에 두고 간 그대 가늘은 내음
나의 선 끝까지 간직하리
나의 선 끝까지 꼭 간직하리

종착점

나이를 먹는다
모두가 똑같이 한 살씩 먹는다.
부자든 거지든 모두가 똑같이
떡국을 얼마나 먹든
지구에 발 붙이고 있는 이상 똑같이.

우리는 똑같이 한 살씩 죽어간다.

아침 달

힘든 밤 버티고 버텨
드디어 찾아온 아침은

여긴 너의 자리가 아니라고
너와는 어울리지 않는다고

아침에 떠오른 달

나의 아침은 어디에
나의 봄은 어디에

그저 시간이 지나면 다 될 줄 알았는데
그게 아니었다

구름은 아무것도 모른다

구름은 아무것도 모른다
그저 뭉게뭉게
본인 가고 싶은 대로

철

'철 좀 들어라'
한 근, 두 근

'철딱서니 좀 있게 살아라'
한 근, 두 근

분명 봉 무게는 조상님이 들어준다고 했는데
어깨는 자꾸만 무거워진다

힘내는 별

―――――

걷다가 지쳐 문득 밤하늘을 올려보니
구름들 사이 희끗이 달이 보인다

그렇게 혼자서만 애쓰는 줄 알았는데
저마다의 자리에서 빛내는 별들

달아 힘내라
달아 힘내자
아침이 머지않았어

걷다가 힘들 때 문득 주위를 둘러보자
저마다의 자리에서 힘내는 별들을 보자

2장

사랑과 꿈에 관하여

'볕' 이야기

———

창가에 앉아 밖을 바라보는데
자꾸만 볕이 눈을 가린다

분명히 좋은 뜻으로 그랬을 것인데
스스로는 잘해주고 싶은 마음이었을 것인데
그게 뜻처럼 되지 않는다
누군가의 눈을 부시게
나도 모르게

따뜻한 볕이 눈을 가린다
햇살에 눈가가 붉어진다

우주의 작은별

―――――

우주에 작은 빛줄기 하나에서 시작해
그렇게 같은 별빛 아래 어딘가에서

지금 옆에 있지 않아도 알아
지금 곁에 있지 않아도,
작고 진실된 마음으로
마음꽃 한 다발.
별빛에 담아
내 마음 저 별빛에 담아

그렇게 그대가 알 수 있게 빛을 내줘요

냄새

여름밤 내음새
그 냄새가 그리워져
파도 소리 들으며
살랑살랑 밤바람 맞으며
그 냄새를 기억해

기억해
기억해

성숙한 사랑

———

그냥 내가 이해하고 넘어가면 그만
내가 다 잘못했고 내가 다 맞춰주면 그만

괜히 속좁아 보이고
애 같아 보이고
이해심 없어 보여 말을 삼킨다

그게 과연 성숙한 사랑인가
이건 사랑이 아니다

민들레씨

────

내가 바라던 사람
내가 꿈꿔왔던 사랑
그게 다 여기 있는데

그저 따뜻하게 나려앉아
그저 작고 포근한 뿌리를
천천히 그리고 소중하게

꽃 피우며 더 단단해질 거야

시작

시작이 반이라고 했다
그 반을 하지 못해 계속 머무른다
밤바람 맞으면 잠시 꿈에서 깨었나 싶지만
어느새 쪼그려 편하게 눈을 감는다

그저 없던 일이었지
바다 한가운데에 모래 알갱이 하나 던진 양
아무 일 없는 척

그렇게 쉽게
단지 눈 감아 아침을 기다린다

대체 언제 시작하는지

이라는 것을 미리 알았더라면

———

서로를 이해하고,
맞추어 나간다는 것은

둘이서 하나가 되는 것이 아니라,
다시 새로운 둘이 되는 것

그리움

버리다.
내 입맛에 맞지 않는 것들을.
음식은 남기지 말라고 했는데

버리다.
내 마음에 맞지 않는 것들을.
사람도 가려 사귀지 말라고 했는데

버리다.
이젠 내 곁에 남아 있지 않은 것들을.
버리다.
버리다.

왜 버려지지 않을까

11월 10일의 밤

낙엽 지는 추운 계절이 되면,
시린 바람맞으며 밖을 배회하다 집에 들어올 때면,
괜히 쓸쓸히 혼자임을 깨닫는다

그리곤 씻고 나서 다시 침대에 누우면
어련히 잘 지내고 있다고 생각했는데
왜인지 내 방 천정은 공허하다

누군가를 만나는 일도 여유가 있어야 하는 거라고
그렇게 둘러대면서 혼자 위로해도
그래도 빈 천정은 채워지지 않고

드라마 같은 이상적인 것은 없다고
그렇게 혼자서 되뇌며 결심해도
그래도 이제는 다시 내딛기가 두렵다

다시 아프기 싫어서
다시 울고 싶지 않아서
시린 바람에 그저 편하게 몸을 옴츠려 견딘다

시간은 저절로 지나 추운 계절은 갈 테니까
그러곤 다시 꽃향기에 슬퍼지겠지

그 뒤로는

―――

그 뒤로는,
　　너는
　　다른 사람 잘 만나고 있을까
　　밥은 잘 챙겨먹고
　　밤 마다 잠 뒤척이며 지새우진 않을까
　　아직 남아 있는 흔적들에 괴로워하면서도
　　지금 남기는 흔적들을 가끔씩 보고있지는 않을까

　　그 뒤로는,
　　나는.

길

어쩌면 맞는 길이 아닐지 모른다
어쩌면 나의 길이 아닐지도 모른다
이 걸음 끝에 무엇이 있을지 모르지만

지금 걷는 길에는 바른길은 없다
지금 걷는 길에는 틀린길은 없다

그저 방향을 바꾸어
생기 있게 한 걸음 내딛기만 하면
울퉁불퉁한 길이라도 잠시 쉬었다 가면
남들이 나의 길을 비웃더라도-

그렇게
한 발짝, 한 발짝
한 계단, 한 계단
이 길을 힘차게 밟아보자

혹시 모르지
방금 내딛 한 걸음, 한 걸음이 양분이 되어
미래의 꽃을 피울 거름이 될지

어른

빨리 어른이 되고 싶어
빨리 졸업하고 싶어
빨리 취업하고 돈벌고 싶어

빨리 책임지고 싶어
빨리 책임 질 수 있는 사람이 되고 싶어
책임 진다는 말이 부끄럽지 않은 사람이 되고 싶어

3장

순수에 관하여

우리는 어렸었다

———

우리는 어렸었다

티 없이 맑았던 웃음은
누군가의 비위를 맞추기 위한 웃음이

본능에 충실한 아이의 울음은
누군가를 속이기 위한 눈물이

커가면서 머리는 점점 무거워만 가는데
대체 무엇이 채워지는지

머리에 차오르는 것들을 빼내기 위해
오늘도 글을 적어 버린다.

새싹의 기억

────

초롱한 눈망울을 가진 그대여
투명한 당시의 기억을 간직한 그대여
이루 말할 수 없는 이 세상이
그대를 부정하더라도

이 노래에 사뿐히 나려 앉아
그렇게 세상의 소음에서 벗어나요

아득해지는 새벽녘까지
저 달이 내일로 미루러 질 때까지
아니, 그보다 더 오래오래 흐르러

그 시절을 영원히 간직해 주세요

바보

착하게 살면 손해라고들 하는데
그냥 착하게 말고 바보인척 살란다

손해보는 거 알면서도
헤헤 웃으면서 바보인냥

그냥 무해하게만 살고 싶다

벚꽃

———

한순간 예쁘고 사라질 것 같지만
사실 계속 태어나는 거야
순수함을 가지고,
순수함을 흩날리고,
갓 태어난 갓난애기같이

그렇게,
어쩌면 유치하게
다시 태어난 척

편지

———

예쁜 사람아
예쁜 사랑아
그때까지 순수함을 잃지 말아 줘요

비바람 모질게 불어도
꿋꿋한 소나무처럼
푸른 마음 그대로 간직해줘요

그 마음 변치 않고
티 없는 아이의 마음 그대로

4장

세상사는 것들에 관하여

퇴근길 지하철

누가 먼저 가는지
누구까지 탈 수 있는지
이건 우리들만의 경쟁

지금 만큼은 우린 그 누구보다도 가까운 사이
서로에게 꽉꽉 안겨 오늘 하루를 서로 위로하는 길

무서운 세상

개미는 굴 밖이 무서워
세상 굳은 풍파가 무서워

착한 마음 보이면
그걸로 바보인 거고

어쩌다 아주 조금이라도,
누군가의 눈에 잘못 드는 날에면
그걸로 수없이 질타를 받는다

개미는 이 세상이 무서워
이불속에 묻혀 아무도 보지 않는 글만 적는다

척

　

착한 척하지 마라
예쁜 척하지 마라
순수한 척하지 마라

그러면 어떻게 살아야 되는데
다 그런 척하면서 사는 거 아닌가

다들 척이라는 거
알면서도 모르는 척 하는거 아닌가

척척

착한 척
센치한 척
예쁜 척

척하면 척이다

글

———

뚝-딱
이렇게 날로 먹는 페이지 한 장
.
.
.

일단 쓰고 보자

글이라는게
머리 속에 있을 때랑 쓸 때랑 다르구
쓸 때랑 쓰고나서 보면 또 다르잖아
.
.
.

그러니까 일단 쓰고보자
일단 하고보자

나중에 다시 지우면 그만이다
나중에 후회하면 그만인가?

T

_____

세상을 살아감에 있어서
감정이라는 것이 원체 도움이 안 된다고 느껴간다

내 감정
내 마음
내 생각

왜 몰라주는지 호소하고
상대방에게 무언가를 자꾸만 바라고
그러곤 혼자 상처받는다

이 세상이 나를 이렇게 만들었어!

세상을 탓하는 게 한심해 보일지도 모른다
어쩌면 정 없이 보일지도 모른다
그렇게 T가 되어 가는 걸까

오후 11시 30분의 글

어스레한 밤 문득 걷다가
11시30분 지금 들려오는 노래

가끔 귀가 쫑긋 하이 들려올 때가 있다
이거다 싶은 노래

일 끝나고 간맥 하고 집에 돌아갈 때 즈음
마감 알바 끝내고 집에 돌아갈 때 즈음

돌아가는 길 걷다가 눈 감은채 걷게 되고
괜스레 주머니에 손 넣어 볼륨을 서너 번 올리고
발걸음 늦추며 벤치에 앉아 밤길 돌아가게 되는

이때만큼은 모두가 주인공이다

헤드라이트 키고 달리는 자동차도
눈앞에 희뿌연 미세먼지도
밤공기에 바람도 불어 조금은 시린,
우산 들고 있는 왼손도

지금은 모두가 아름다운 순간이 된다

집에 돌아가 피곤한 몸 침대에 던지며
기절하듯이 잠들면
언제 그랬냐는 듯 쏠랑 까먹을 테지만

지금 순간만큼은.
지금 만큼은.
지금을 기억하자

완벽

완벽을 내려놓자
완벽한 사람은 없다
누구든 자신만의 아픔이 있는 거고
그 티 끝도 본인의 일부인 거다

아무리 새하얀 도자기도
자세히 보면 각자 아픔이 있을 거다

완벽을 내려놓자
조금은 대책 없는 사람이 되자

혐오

우리는 왜 서로 못 잡아먹어서 안달일까
바쁜 와중에도
서로 손가락질하느라 더 바쁘다.

사랑하는 법을 까먹은 듯
물론 나조차도 해당될지도 모르지만

다들 그리도 잘났나 보다
손가락질 당할까 무서워 더 못쓰겠다.

너는 이렇게 살아라

무언가를 바라지 말자
강요하지도
또 기대하지도 말자

누군가는 눈물 흘릴 수도
또 누군가는 욕을 뱉을 수도
모든 게 마음에 들 수는 없는 거잖아

뭐 있는 척
잘난 척 말고
그냥 어쩌면 멍청하게

누가 보기엔 이기적이라고
무슨 홍대병 걸렸나 생각 들겠지만

그냥 살자
남들 이렇다 저렇다 하며 살지 말고

남을 위해서 살기는 내가 여유가 없고
스스로를 먼저 살자

지랄

지랄을 한다

그냥 지랄 좀 하련다.

성찰하는 글

———

항상 마음속으로 되뇌는 말이 있다.
역지사지. 염치.

본인의 잘못을 남에게서 찾지 말자.
나를 돌아보고
아무리 돌아봐도 내가 잘못한 점이 없더라도
그래서 억울하고 허무하고 화가 나더라도
계속해서 돌아보자.

그렇게 티끌 만큼이라도
본인의 잘못을 찾는다면
나는 그게 본인 스스로를 성장시킬 수 있다고 믿는다.

누군가를 탓하지 말자.
역지사지의 마음으로 본인을 되돌아보자.
가장 어려운 일이지만
마음속에 새기며 살고 싶다.

사람은 누구나 실수할 수 있다.
나도 사람이니까.
실수하더라도 스스로 용서하고
본인의 잘못을 인정하는 사람이 되고 싶다.

우리는 어렸었다

발　행 | 2024년 07월 02일
저　자 | 김준형
펴낸이 | 한건희
펴낸곳 | 주식회사 부크크
출판사등록 | 2014.07.15.(제2014-16호)
주　소 | 서울 금천구 가산디지털1로 119, SK트윈타워 A동 305호
전　화 | 1670 - 8316
이메일 | info@bookk.co.kr

ISBN | 979-11-410-9224-5

www.bookk.co.kr
© 김준형　2024